Scan for a free audio reading in Mandarin!

For Mina & Leah

gǎn ēn guàn

感恩罐

THE GRATITUDE JAR

For a FREE printables and more books visit

www.lycheepress.com

ISBN: 978-1-953281-89-0

"噢！艾瑪收到一條粉紅色的手鍊，而我的卻是难看的绿色！真不公平！"

米娜拆开她的礼品袋时抱怨着。

"Aww, Emma got a pink bracelet, but I got a yucky green one! It isn't fair!" complained Mina as she opened her party goodie bag.

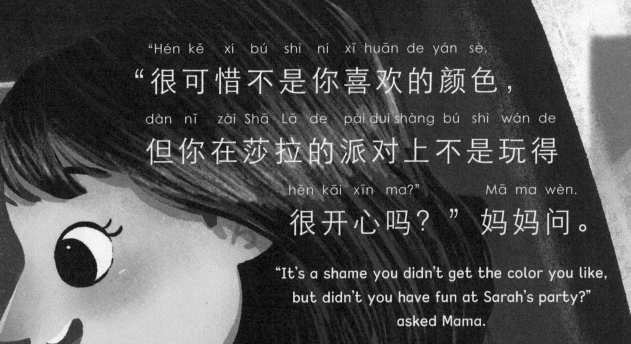

"Hén kě xí bú shì ní xǐ huān de yán sè,
"很可惜不是你喜欢的颜色，
dàn nǐ zài Shā Lā de pài duì shàng bú shì wán de
但你在莎拉的派对上不是玩得
hěn kāi xīn ma?" Mā ma wèn.
很开心吗？" 妈妈问。

"It's a shame you didn't get the color you like,
but didn't you have fun at Sarah's party?"
asked Mama.

"Duì a, dàn shì Shā Lā de fáng zi bǐ wǒ men jiā gèng dà,

"对啊， 但是莎拉的房子比我们家更大，

gèng piào liang. Tā hái yǒu zì jǐ de fáng jiān ne! Wǒ zài

更漂亮。她还有自己的房间呢！我在

jiā què yào gēn Lì Yǎ gòng yòng yí gè fáng jiān.

家却要跟丽雅共用一个房间。

Zhēn bù gōng píng!" Mǐ Nà jì xù bào yuàn zhe.

真不公平！" 米娜继续抱怨着。

"Yeah, BUT Sarah's house is so much bigger and nicer than ours. She even has her own room! I have to share mine with Leah. It isn't fair!" continued Mina.

Chī wǎn fàn shí, Mǐ Nà dí gū zhe, "yòu yào chī shèng cài!

吃晚饭时，米娜嘀咕着，"又要吃剩菜！

At dinner, Mina groaned. "Not leftovers again!

Ài Dí Shēng shuō tā de mā ma diǎn le
艾迪生说她的妈妈点了
pī sà dāng wǎn cān. Zhēn bù gōng píng!"
披萨当晚餐。真不公平！"

Addison said her mom was ordering pizza for dinner. It isn't fair!"

Dì èr tiān Mǐ Nà fàng
第二天米娜放
xué huí jiā, yì biān
学回家，一边
duò zhe jiǎo, yì biān
跺着脚，一边
bào yuàn:
抱怨：

The next day, Mina stomped home after school and let out a BIG sigh.

"今天，杰克逊给我们看他从夏威夷带回来的贝壳，真酷啊！他的旅行这么棒，而我却只能待在家里！真不公平！" 米娜嘟囔着。

"Jackson showed us the coolest seashell from Hawaii during show-n-tell today. He got to go on an amazing summer trip while I had to stay home! It isn't fair!" Mina grumbled.

Mā ma ná lái yí
妈妈拿来一
gè dà bō lí guàn.
个大玻璃罐。
Mama brought in a big glass jar.

"Ná chū nǐ de cái zhǐ, shǎn fěn hé jiāo shuǐ. Wǒ men lái zuò
"拿出你的彩纸、闪粉和胶水。 我们来做

yí gè gǎn ēn guàn ba!" Tā shuō.
一个感恩罐吧！" 她说。

"Get out your most colorful paper, glitter, and glue.
We're making a gratitude jar," she announced.

"Gǎn ēn guàn shì shén me?"
"感恩罐是什么？"

Mǐ Nà wèn.
米娜问。

"What's a gratitude jar?"
asked Mina.

"这是一个特别的罐子，用来提醒我们生活的美好。

我们可以写下或者画出令我们感恩的事情，然后

把纸放进罐子里。比如说早餐的美味煎饼，一张

温暖的床，或者是和朋友一起分享的时光。"

"It's a special jar that reminds us of the good things in our lives. Every day we'll write or draw one thing we're grateful for. Then we'll drop the paper in the jar. It could be the yummy pancakes we ate for breakfast, a warm bed to sleep in, or time with our friends."

"Wǒ xiān kāi shǐ ba! Wǒ hén gǎn xiè zhè hǎo tiān qì, ràng wǒ men míng tiān ké yǐ

"我先开始吧！我很感谢这好天气，让我们明天可以

quán jiā yì qǐ qù yě cān." Mā ma jiē zhe shuō: "Nǐ lái shì shi ba!"

全家一起去野餐。" 妈妈接着说： "你来试试吧！"

"I'll start. I'm grateful for this sunny weather so we can have our family picnic tomorrow," said Mama. "Now, how about you give it a try?"

Mǐ Nà xiǎng le yì huǐ er, shuō:

米娜想了一会儿，说：

"Wǒ shén me dōu xiǎng bù chū lái!"

"我什么都想不出来！"

Mina thought for a minute. "I can't think of anything!"

"Wó yǒu gè xiǎo tí shì. Xiǎng yì xiǎng ní xǐ huān de rén,

"我有个小提示。想一想你喜欢的人，

dì fāng huò zhě nǐ rè ài de shì qíng." Mā ma shuō.

地方或者你热爱的事情。"妈妈说。

"Here's a tip. Think about a person, place, or thing that you love or enjoy," encouraged Mama.

"Wó xiǎng dào le yí gè!"

"我想到了一个!"

"I've got one!"

"Suī rán yǒu shí hòu Lì Yǎ huì ná zóu wǒ de wán jù, dàn shì wǒ hái

"虽然有时候丽雅会拿走我的玩具，但是我还

shì hén gǎn ēn yǒu tā." Tā biān shuō biān bào le bào mèi mei.

是很感恩有她。" 她边说边抱了抱妹妹。

"I'm grateful for Leah even though sometimes she takes my toys," she said
as she gave her baby sister a little squeeze.

"Zhēn bàng!" Mā ma shuō, "dào le gǎn ēn jié, wǒ men bǎ zhè xiē zhǐ
"真棒！"妈妈说，"到了感恩节，我们把这些纸

tiáo dōu ná chū lái chóng wēn, tí xǐng zì jí wǒ men yǒu duō xìng fú."
条都拿出来重温，提醒自己我们有多幸福。"

"Excellent!" said Mama. "On Thanksgiving
Day, we'll take them all out to read.
Then we'll see just how blessed we are."

"Wǒ yào yòng xiān yàn de sè cǎi hé liàng piàn lái zhuāng shì tā!"

"我要用鲜艳的色彩和亮片来装饰它！"

"I'm going to decorate it with lots of
colors and the shiniest sparkles!"

"Zhè kěn dìng huì shì suó yǒu rén jiàn guò zuì

"这肯定会是所有人见过最

p/ Máo tà! MA/ MA/ zhū.

p/ Máo láng de gǎn ēn guàn!"   Mǐ nà shuō.

漂亮的感恩罐！" 米娜说。

"This will be the most beautiful gratitude jar
anyone has ever seen!" Mina said.

Mǐ nà huí xiǎng zhe suó yǒu ràng tā gǎn ēn de shì qíng, jiù
米娜回想着所有让她感恩的事情，就

xiàng hòu yuàn nà kē yòng lái zhà níng méng zhī de níng méng shù,
像后院那棵用来榨柠檬汁的柠檬树，

Mina thought about all the things she was grateful for: the lemon tree in their backyard that they used to make fresh lemonade,

dà jiā yì qǐ qù shè qū tú shū guǎn de qù shì,

大家一起去社区图书馆的趣事，

their trips to the local library,

hái yóu nǎi nai qīn shǒu zuò

还有奶奶亲手做

de měi wèi jiǎo zi!

的美味饺子！

and her grandma's delicious
handmade dumplings!

Tā yóu qí gǎn xiè tā de jiā rén. Suī rán tā men bìng bú fù yù,

她尤其感谢她的家人。虽然他们并不富裕，

dàn tā men gěi jiā rén de ài bǐ rèn hé rén dōu duō.

但他们给家人的爱比任何人都多。

She was especially thankful for her family. Even though they didn't have as much money as some other families, they had more love than anyone she knew.

Gǎn ēn guàn yǐ jīng chéng wéi tā men jiā shēng huó zhōng tè bié de yí bù fèn. Měi tiān wǎn

感恩罐已经成为他们家生活中特别的一部分。每天晚

fàn de shí hòu, tā men dōu huì fēn xiǎng zhè yì tiān lǐ ràng tā men gǎn ēn de shì qíng.

饭的时候，他们都会分享这一天里让他们感恩的事情。

The gratitude jar became a special part of their family's daily routine. Every evening at dinner, they each shared something they were grateful for that day.

Dào le gǎn ēn jié nà tiān, guàn zi lí yǐ jīng zhuāng mǎn le wǔ yán liù sè de

到了感恩节那天，罐子里已经装满了五颜六色的

zhǐ piàn. Tā men xū yào huàn gè gèng dà de guàn zi!

纸片。他们需要换个更大的罐子！

By Thanksgiving Day, the jar overflowed with pieces of colorful paper.
They had to replace it with an even bigger jar!

Bù jǐn Mǐ Nà tíng zhǐ le fā láo sāo, quán jiā rén yě biàn de gèng kāi xīn.

不仅米娜停止了发牢骚，全家人也变得更开心。

Not only did Mina stop whining and complaining regularly, but soon
enough, the entire family found themselves in a happier mood.

"Wó hěn gāo xìng wǒ men zuò le zhè ge gǎn ēn guàn," Mǐ Nà shuō. "Tā bāng wǒ

"我很高兴我们做了这个感恩罐，"米娜说。"它帮我

kàn dào wǒ men suǒ yōng yǒu de méi hǎo shì wù. Wǒ hén gǎn xiè zhè ge gǎn ēn guàn!"

看到我们所拥有的美好事物。我很感谢这个感恩罐！"

"I'm glad we did this project," said Mina. "I can now see all the
wonderful things we have. I'm grateful for the gratitude jar!"

Mā ma yòng lì de bào zhù Mǐ Nà: "Bǎo bèi, wó yě shì.
妈妈用力地抱住米娜："宝贝，我也是。
Wǒ hái tè bié gǎn ēn yǒu le nǐ!"
我还特别感恩有了你！"

Mama gave Mina a big hug. "Me too, sweetie. And I'm so grateful for you!"

GRATIT ⋅ JAI

Printed in the USA
CPSIA information can be obtained
at www.ICGtesting.com
LVHW072009051023
760090LV00019B/23